MOSAÏQUE

ISBN : 978-2-84567-361-8
Dépôt légal : janvier 2007
Achevé d'imprimer : décembre 2006
Imprimé et relié par Eurolitho S.p.A
Printed in Italy

Tana éditions
16-24, rue Cabanis – 12, villa de Lourcine
75014 Paris
www.tana.fr

des doigts de fée

Amandine Dardenne

Photos : Isabelle Schaff

MOSAÏQUE

4 AVANT-PROPOS

Art ô combien millénaire et présent dans tous les coins du monde, la mosaïque a traversé et embelli nos siècles. Aujourd'hui, elle reste un atout certain de décoration. L'art de la mosaïque consiste à assembler différents éléments entre eux pour faire apparaître une image, un motif ou un simple camaïeu.

Sur des meubles ou des accessoires, la mosaïque se revisite avec modernité et offre une diversité de couleurs, de formes et de matières. Des petits carrés les plus stricts aux tessons aux formes les plus diverses, à vous de choisir. Émaux, faïence, verre, pâte de verre, objets brisés et détournés... la gamme des matériaux est vaste, et la mosaïque s'accorde à toutes sortes d'ambiances.

Vous parcourerez ce livre, craquerez sur certaines créations, oserez les reproduire et, bientôt, vous fourmillerez d'idées.

Mettez vos couleurs sur les cadres, les meubles ou les murs... Personnalisez tables, dessous-de-plat, vases, cadres, bijoux... la seule limite étant votre propre imagination.

En avant les couleurs !

FAITES VOTRE CHOIX

	FACILE	MOYEN	DIFFICILE
DIFFICULTÉ	*	**	***

SOMMAIRE

MATÉRIEL 8
TECHNIQUE 10

EN REVENANT DE LA PLAGE
Plat de sirène 12
Petite table marine 14
Porte-clefs poisson 16
Bougeoir étoile 18
Miroir coquillages 20

MA JOLIE TABLE
Coupe à fruits 22
Assiette de reine 24
Dessous-de-plat 26
Pot à ustensiles 28
Plateau 30
Rond de serviette 32

DÉCO DE SALON
Bonbonnière de canapé 34
Serre-livres fleurettes 36
Boîte à mouchoirs 38
Jardinière 40
Cache-pot coquelicots 42
Petit meuble une porte 44
Photophore miroirs 46

À OFFRIR
Pot à crayons 48
Petit déjeuner en amoureux 50
Miroir coquet 52
Patère accroche-cœur 54
Tabouret mille éclats 56

PATRONS 58
GRILLES 60

ADRESSES UTILES 62

8 MATÉRIEL

La pince coupante : elle permet de couper les carreaux, à l'aide d'une pointe pour le verre et la céramique, ou seule pour les carreaux de résine.

Le marteau : il sert à casser les carreaux. Placer le carreau dans un sac ou un chiffon afin d'éviter les projections qui peuvent êtres dangereuses.

Le peigne de carreleur : il permet de bien répartir la colle et évite les différences de niveau.

Le couteau de peintre : il existe de toutes les tailles, à adapter à la taille ou aux formes de la réalisation. Il sert à étaler la colle et le joint sur les supports.

La raclette en caoutchouc : elle permet d'étaler facilement le ciment-joint sur les grandes surfaces. Pour les petites surfaces, une raclette à pare-brise est préférable.

Les colles : il existe plusieurs types de colles ; pour la résine, une colle vinylique spéciale pour mosaïque suffit et est plus simple à utiliser. Les carreaux de céramique, de verre ou d'autres matières lourdes nécessitent une colle à carrelage, vendue toute prête en pots, très pratique, ou en poudre à diluer en respectant les proportions indiquées sur l'emballage.

Le joint : il existe tout fait, en pots, ou en poudre à diluer avec de l'eau en respectant les proportions indiquées sur l'emballage. Blanc, gris, ultrablanc... en fonction de l'effet désiré. Il peut être coloré avec des pigments, de l'ocre ou même de la peinture acrylique.

Les carreaux : on peut tout employer, du carrelage, pourquoi pas des chutes de la salle de bains... de la mosaïque en céramique, des émaux de Briare, des tesselles, de la résine, des carreaux de verre... On peut aussi utiliser des cabochons, en verre, en céramique, en plastique, des coquillages, des petites pierres, à peu près tout ce que l'on peut imaginer !

L'éponge : indispensable pour nettoyer le joint, le plus gros avant et les finitions après le séchage.

Les gants en caoutchouc : ils sont indispensables quand vous utilisez la pince coupante ou le marteau.

10 TECHNIQUE

LA COUPE DES CARREAUX

Deux techniques sont possibles pour couper les carreaux.
À la pince coupante : pour les carreaux en verre ou en céramique, tracer la ligne à couper avec la pointe et casser à l'aide de la pince sans prendre le carreau en entier dans la pince. Pour la résine, c'est beaucoup plus facile, il suffit de placer le carreau en entier dans la pince à l'endroit où il doit être coupé et de serrer. Sur les paquets de mosaïque en résine, il est expliqué que l'on peut les couper aux ciseaux mais ce n'est vraiment pas facile, la pince est plus efficace. La pointe permet de marquer le carreau à l'endroit il doit être cassé.
Au marteau : pour la faïence et l'ardoise, frapper le carreau sur l'envers pour ne pas entamer l'émaillage. Pour éviter les éclats, déposer le carreau dans un torchon.
La préparation des tesselles est un long travail. Il faut avoir la patience d'en casser le plus possible pour ensuite passer au grand plaisir de la réalisation.
Il faut faire preuve de prudence lorsque l'on coupe ou l'on brise du verre ; se protéger les yeux. De même, se protéger les mains lors de l'utilisation du joint et lors de la manipulation de faïence brisée afin de ne pas se couper.

LA POSE DES TESSELLES

En règle générale, il est conseillé de commencer par le motif central, les tranches et les bordures, et enfin de terminer par le fond. Mais la pose des tesselles reste une question de goût, tout, ou presque, tout est permis !
Il faut penser à garder une unité dans l'espacement des joints. On peut réduire l'espacement pour un travail fin. Les joints seront alors très fins. Au contraire, on peut espacer un peu plus les tesselles, les joints feront alors entièrement partie du décor.

LES JOINTS ET LA FINITION

Les joints unifient l'ensemble du travail et déterminent l'aspect final de la mosaïque.
Préparer le ciment-joint en se référant aux instructions du fabriquant. Une fois prêt, étaler soit à la main en se munissant de gants, soit à l'aide d'une raclette. Il faut veiller à le faire pénétrer dans tous les interstices. Une fois étalé et sans plus attendre, ôter l'excédent à l'aide d'une éponge humide.
Le choix des couleurs des joints est très important. Une fois posé, le joint ne peut plus être modifié, c'est irréversible !
Les joints ont pour autre avantage de combler les interstices entre les tesselles et d'éviter que la poussière y pénètre.
Toutes les mosaïques n'ont pas besoin d'être jointoyées. Les mosaïques décoratives notamment peuvent ne pas l'être.

Joint

12 PLAT DE SIRÈNE

Pas très douée pour la pêche aux crevettes ? Il vous reste cette jolie sirène au cœur du plateau.

MATÉRIEL

Plateau en verre bleu
Crayon blanc
Tesselles en verre : jaune, bleu, bleu ciel, bleu foncé, turquoise
Marteau
Colle à carrelage
Joint
Éponge et chiffon

RÉALISATION

1. À l'aide du patron numéro 1 (page 58), reporter le dessin de la sirène au centre du plateau.

2. Casser les tesselles en morceaux au marteau.

3. Encoller la sirène. Mettre en couleur en suivant la photo.

4. Encoller le fond du plateau et coller des morceaux de tesselle bleue.

5. Encoller le tour du plateau et coller les tesselles en une frise répétitive. Laisser sécher 24 h.

6. Poser le joint. Passer un coup d'éponge. Laisser sécher.
Nettoyer les traces avec l'éponge et le chiffon.

DIFFICULTÉ
**

14 PETITE TABLE MARINE

Un petit air de vacances : posée dans votre salon, cette table et son plateau vous rappellent les doux jours d'été.

MATÉRIEL

Table d'appoint avec plateau amovible
Papier abrasif
Peinture acrylique bleu ciel
Crayon à papier
Carreaux de carrelage : bleu, bleu ciel, turquoise, bleu marine
Marteau
Équerre, règle
Colle à carrelage
Peigne de carreleur
Joint
Éponge et chiffon

RÉALISATION

1. Poncer le plateau et les pieds. Les peindre en bleu. Laisser sécher.

2. Dessiner l'étoile de mer, au crayon, au centre du plateau. Tracer une bande de 2 cm à environ 3 cm des bords tout autour du plateau.

3. Casser les carreaux au marteau.

4. Encoller le fond du plateau et passer un coup de peigne pour égaliser la colle et voir le dessin.

5. Coller des morceaux de carreau bleu à l'intérieur de l'étoile. Coller des morceaux de carreau bleu marine à l'intérieur de la bande. Coller des morceaux de carreau bleu, bleu ciel et turquoise sur le reste du plateau, en veillant à ne pas mettre de bleu ciel collé à l'étoile afin que le motif ressorte bien. Laisser sécher 24 h.

6. Poser le joint. Passer un coup d'éponge. Laisser sécher. Nettoyer les traces avec l'éponge et le chiffon.

DIFFICULTÉ
*

16 PORTE-CLEFS POISSON

À la maison de vos rêves, offrez ce porte-clefs aux reflet d'îles paradisiaques.

MATÉRIEL

Porte-clefs poisson en bois
Crayon à papier
Colle à mosaïque
Peigne de carreleur
Pince coupante
Carreaux de mosaïque en résine : bleu ciel, bleu marine, jaune, noire
Joint
Éponge et chiffon

RÉALISATION

1. Tracer trois lignes horizontales en suivant les courbes du poisson – elles représenteront ses rayures.

2. Encoller le poisson. Passer un coup de peigne pour égaliser la colle et voir les lignes.

3. Couper les carreaux un par un, en deux, en quatre ou en diagonale, en fonction du motif et de ses couleurs (grille numéro 9, page 61). Laisser sécher.

4. Procéder de la même manière pour l'autre face et les rebords. Laisser sécher.

5. Poser le joint et passer un coup d'éponge. Laisser sécher. Nettoyer les traces avec l'éponge et le chiffon.

DIFFICULTÉ
*

18 BOUGEOIR ÉTOILE

Quand la nuit tombe, avec ce bougeoir, éclairez-vous à la simple lumière de la lune et des étoiles.

MATÉRIEL

Bougeoir étoile
Colle à mosaïque
Cabochons de verre bleu
Petits carreaux de verre bleu
Carreaux de mosaïque en résine bleue
Pince coupante

RÉALISATION

1. Encoller le bougeoir d'une couche épaisse.

2. Disposer des cabochons et les carreaux de verre, en les alternant dans chacune des branches de l'étoile. Disposer trois autres cabochons au centre de l'étoile. Recouvrir le reste de la surface du bougeoir de carreaux de mosaïque en résine, en en coupant quelques-uns çà et là. Laisser sécher.

3. Encoller les côtés et coller les carreaux entiers. Laisser sécher.

DIFFICULTÉ
*

20 MIROIR COQUILLAGES

Teint hâlé et cheveux blondis par le soleil... L'été vous offre une mine charmante, qui se reflétera dans ce miroir coquillages.

MATÉRIEL

Miroir
Colle à carrelage
Barrettes de carrelage bleu
Coquillages
Galets
Cabochons poissons irisés
Chiffon

RÉALISATION

1. Retirer le miroir de son cadre, pour ne pas le tacher. Enduire entièrement le cadre du miroir de colle. Essuyer les contours intérieurs et extérieurs avec le chiffon.

2. Disposer les barrettes, les coquillages, les galets et les cabochons. Essuyer de nouveau les contours. Laisser sécher.

3. Remettre en place le miroir.

DIFFICULTÉ

*

22 COUPE À FRUITS

Pommes, pêches, poires, abricots... Voici une coupelle aux couleurs éclatantes prête à accueillir des fruits de saison.

MATÉRIEL

Coupe en céramique rouge
Crayon à papier
Tesselles de verre : jaune, orange, vert, rouge clair, rouge foncé
Marteau
Colle à carrelage
Joint
Éponge et chiffon

RÉALISATION

1. À l'aide du patron numéro 3 (page 59), reporter au crayon la pomme au fond de la coupe.

2. Casser les tesselles en petits morceaux au marteau. Coller des tesselles jaunes, orange et vertes sur le dessin, en suivant le modèle. Coller des tesselles rouges sur tout l'intérieur de la coupe. Laisser sécher 24 h.

3. Poser le joint. Passer un coup d'éponge. Laisser sécher.
Nettoyer les traces avec l'éponge et le chiffon.

DIFFICULTÉ
**

24 ASSIETTE DE REINE

Plus besoin d'espérer la fève de la galette des Rois… Avec cette assiette, vous êtes déjà une reine à table !

MATÉRIEL

Assiette plate à rebord
5 cabochons à peindre
Peinture acrylique vert d'eau
Carreaux de carrelage : vert, vert foncé, vert d'eau
Marteau
Colle à carrelage
Joint
Éponge et chiffon

RÉALISATION

1. Peindre le dessous des cabochons en vert d'eau. Laisser sécher.

2. Casser tous les carreaux en petits morceaux au marteau.

3. Encoller l'aile de l'assiette et disposer les cabochons à égale distance les uns des autres autour de l'assiette. Coller les morceaux de carreau entre et au-dessus de chaque cabochon, en dessinant des lignes : ligne extérieure verte, ligne centrale vert foncé et ligne intérieure vert d'eau, en veillant à ne pas laisser dépasser de morceaux à l'intérieur ou à l'extérieur de l'assiette. Laisser sécher 24 h.

4. Poser le joint et passer un coup d'éponge. Nettoyer les traces avec l'éponge et le chiffon.

DIFFICULTÉ
**

26 DESSOUS-DE-PLAT

Pour accompagner des plats exotiques et épicés, choisissez un dessous-de-plat aux couleurs pétillantes et relevées.

MATÉRIEL

Dessous-de-plat
Peintures acryliques : mauve, vert anis
Colle à mosaïque
Carreaux de mosaïque : blanc, rose pâle, rose fuchsia, vert pâle, jaune moutarde, rouge terre
Pointe à carrelage
Pince coupante

RÉALISATION

1. Peindre le dessus en mauve et les côtés en vert anis. Laisser sécher.

2. Coller les carreaux comme indiqué sur le schéma, en encollant l'arrière de chaque carreau sans laisser de traces de colle.

3. Casser certains carreaux en traçant avec la pointe et en cassant avec la pince. (Mieux vaut porter des gants, pour éviter de se couper.) Laisser sécher.

DIFFICULTÉ

*

28 POT À USTENSILES

Une touche rustique et une touche moderne, voici un pot à ustensiles qui mélange les genres.

MATÉRIEL

Brique à vin en terre
Colle à mosaïque
Carreaux de mosaïque en résine rouge, blanche, petit et grand formats
Pince coupante
Joint
Éponge et chiffon

RÉALISATION

1. Coller une bande de grands carreaux rouges tout autour de la brique, pour évaluer l'espace qu'il faut laisser entre chacun. Laisser sécher.

2. Coller six rangées de grands carreaux rouges. Coller deux bandes en alternant un grand carreau rouge et un grand carreau blanc.

3. Couper des grands carreaux rouges en deux dans la diagonale, à l'aide de la pince. Coller quatre morceaux rouges autour d'un grand carreau blanc, comme indiqué sur la grille numéro 7 (page 61).

4. Coller une rangée de petits carreaux rouges, une rangée alternant petits carreaux rouges et petits carreaux blancs. Coller une dernière rangée de petits carreaux rouges. Laisser sécher.

5. Poser le joint. Passer un coup d'éponge. Laisser sécher.
Nettoyer les traces avec l'éponge et le chiffon.

DIFFICULTÉ
***

30 PLATEAU

Voici un plateau d'été pour y disposer quelques orangeades rafraîchissantes...

MATÉRIEL

Plateau avec des rebords en bois
Papier abrasif
Colle à carrelage
Carreaux de mosaïque : bleue, verte, écru irisé
Joint
Résine cristal
Durcisseur pour résine
Pot en plastique
Éponge et chiffon

RÉALISATION

1. Poncer le plateau. Encoller le fond. Poser les carreaux en suivant la grille numéro 5 (page 60). Laisser sécher 24 h.

2. Poser le joint. Laisser sécher 24 h.

3. Préparer la résine comme indiqué sur la notice du fabricant : mélanger deux doses de résine cristal avec une dose de durcisseur dans le pot en plastique. Verser dans le plateau jusqu'à recouvrir les carreaux. Laisser sécher 24 h.

DIFFICULTÉ
**

32 RONDE DE SERVIETTE

Même la plus simple des serviettes en papier aura de l'allure revêtue de ce rond de serviette aux couleurs douces et aux motifs sophistiqués.

MATÉRIEL

Rond de serviette
Colle à mosaïque
Carreaux de mosaïque en résine : marron, rose, écrue, petit format
Joint
Éponge et chiffon

RÉALISATION

1. Encoller le rond de serviette. Coller les carreaux de mosaïque en suivant bien la photo et en laissant 1 mm entre chaque carreau. Veiller au sens des carreaux, pour obtenir une jolie frise géométrique. Laisser sécher.

2. Poser le joint. Passer un coup d'éponge. Nettoyer les traces avec l'éponge et le chiffon.

DIFFICULTÉ
***

34 BONBONNIÈRE DE CANAPÉ

Le vieux cendrier de grand-père que vous ne vous résolvez pas à jeter commence ici une nouvelle vie ! Il garde toutes vos sucreries à portée de main...

MATÉRIEL

Vieux cendrier sur pied
Peinture sous-couche
Peinture acrylique bleue
Colle à mosaïque
Mosaïque smalt ronde
Joint
Éponge et chiffon

RÉALISATION

1. Retirer le cendrier pour ne garder que le pied et sa coupole. Bien le nettoyer.

2. Passer une couche de sous-couche sur tout le cendrier et à l'intérieur de la coupelle. Laisser sécher.

3. Peindre le pied et l'intérieur en bleu. Laisser sécher.

4. Coller la mosaïque sur la base du pied et deux rangées sur le haut. Laisser sécher 24 h.

5. Poser le joint. Passer un coup d'éponge. Laisser sécher.
Nettoyer les traces avec l'éponge et le chiffon.

36 SERRE-LIVRES FLEURETTES

Avec les romans d'amour, certains diront que vous êtes un peu fleur bleue ? Pas du tout : vous voici fleurs roses, orange et vertes...

MATÉRIEL

2 serre-livres
Crayon à papier
Colle à mosaïque
Mosaïque en résine : blanche grand format, orange petit format, verte petit format et rose petit format
Pince coupante

RÉALISATION

1. Dessiner les fleurs au crayon sur les serre-livres.

2. Coller dans une fleur le plus de carrés entiers possible, sans laisser d'espaces. Pour les contours, couper avec la pince coupante les carreaux un à un, en suivant les traits du dessin. Répéter l'opération pour chacune des fleurs, en changeant de couleur à chaque fleur.

3. Coller sur le reste de la surface des serre-livres le plus de carreaux blancs entiers possible, en incluant quatre petits carreaux colorés de temps à autre. Pour combler les vides, couper des carreaux blancs et les coller. Procéder de la même manière pour les côtés et le dessus.

FEUTRINE ET LAINE FEUTRÉE
SCOUBIDOUS
FEUTRINE ET LAINE FEUTRÉE
SCRAPBOOKING
DÉCOUPAGE ET COLLAGE
ACCESSOIRES EN TISSU
SCOUBIDOUS
DÉCOUPAGE ET COLLAGE
DÉCO DE GALETS
des doigts de fée
Amandine Dardenne

38 BOÎTE À MOUCHOIRS

Quelques pétales et une touche de romantisme, voilà de quoi essuyer les larmes que vous a arrachées votre film à l'eau de rose préféré.

MATÉRIEL

Boîte à mouchoirs
Crayon à papier
Colle à mosaïque
Carreaux de mosaïque en résine : rose foncé petit format, rose foncé grand format, rose clair grand format, vert clair grand format et vert foncé grand format
Pince coupante
Joint
Éponge

RÉALISATION

1. À l'aide du patron numéro 4 (page 59), reporter les roses et les feuilles au crayon à papier sur la boîte à mouchoirs. Coller les petits carreaux rose foncé aux angles et autour de l'ouverture centrale. Coller les grands carreaux rose foncé sur deux bandes en bas de la boîte, tout autour.

2. Pour les motifs, coller le plus possible de carreaux entiers à l'intérieur des dessins, droits et alignés, à 1 mm les uns des autres. Pour les courbes, poser sans le coller un carreau contre un carreau aligné et collé.

3. Tracer au crayon le morceau à couper en suivant la ligne du dessin. Couper à la pince coupante et coller. Procéder ainsi pour chacun. Laisser sécher.

4. Poser le joint. Passer un coup d'éponge. Laisser sécher.
Nettoyer les traces de joint restantes avec l'éponge.

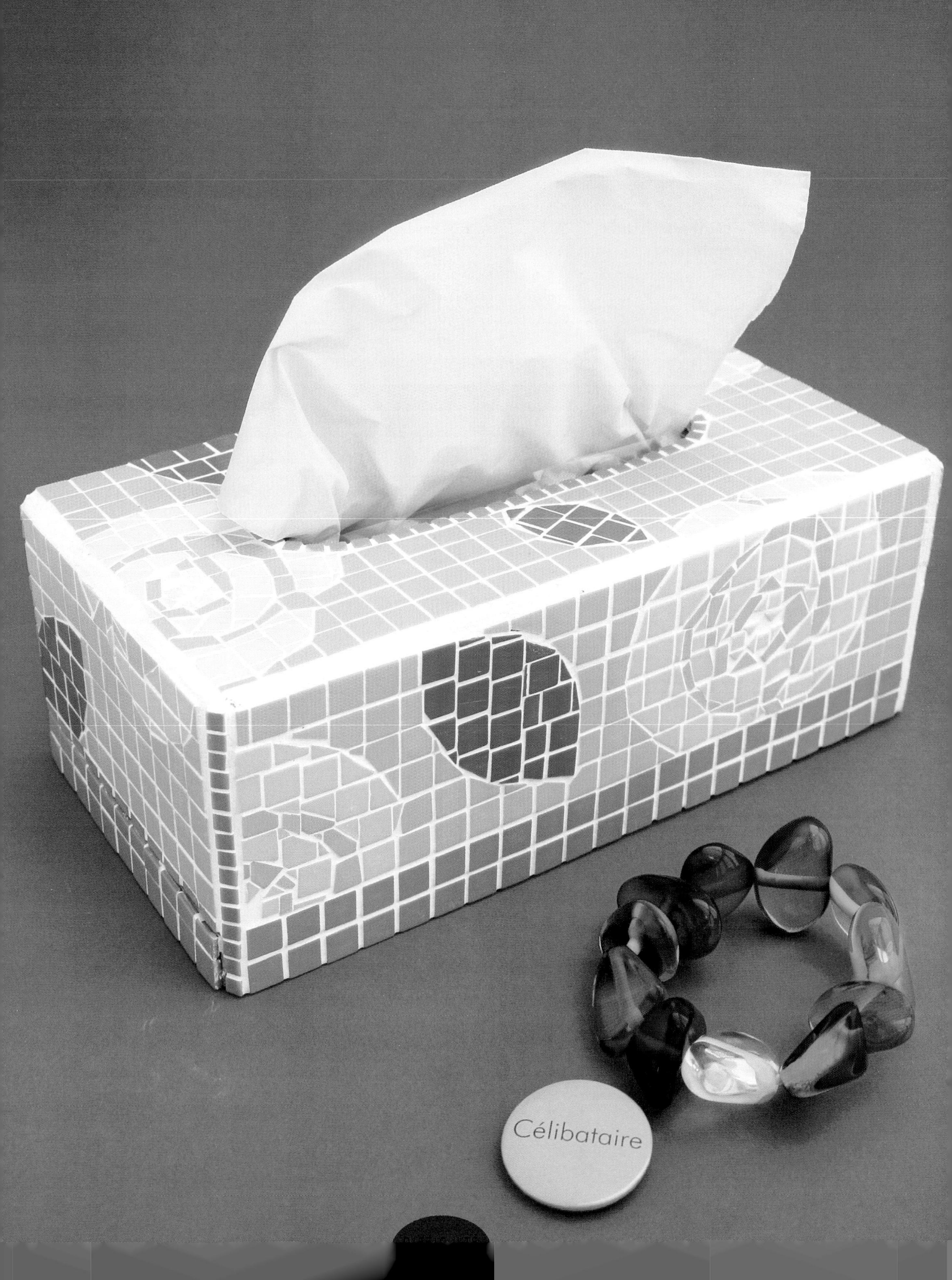
Célibataire

40 JARDINIÈRE

Du zinc et des couleurs chaudes pour une jardinière déco et moderne.

MATÉRIEL

Jardinière en zinc
Colle à mosaïque
Carreaux de mosaïque en résine : marron, terre, orange, petit et grand formats
Dissolvant

RÉALISATION

1. Coller deux rangées de carreaux à la base et en haut de la jardinière, en alternant deux petits carreaux l'un sur l'autre, un grand carreau marron, un grand carreau orange, deux petits carreaux, un grand carreau marron, un grand carreau terre, etc. sur tout le tour.

2. Au centre de la jardinière, coller des carreaux en formant un rectangle et, à ses côtés, deux petits carrés.

3. Sur les côtés de la jardinière, coller des carreaux de la même manière au centre, pour former des carrés. Laisser sécher.

4. Nettoyer les excédents de colle au dissolvant.

42 CACHE-POT COQUELICOTS

On ne peut pas cueillir les coquelicots ? Pas de problème, offrez-vous le plaisir d'en avoir dans votre véranda.

MATÉRIEL

Cache-pot en terre à rebord en zinc
Crayon à papier
Marteau
Tesselles rouges, vertes, noires, orange
Colle à mosaïque
Joint
Éponge et chiffon

RÉALISATION

1. À l'aide du patron numéro 2 (page 59), reporter au crayon à papier les coquelicots sur le cache-pot. À l'aide du marteau, casser les tesselles.

2. Coller les tesselles rouges sur un des pétales, les tesselles orange sur un autre, et ainsi de suite pour toute la fleur. Coller des tesselles noires au centre.

3. Procéder de la même manière pour le second coquelicot.

4. Encoller le reste de la surface du pot et coller les tesselles vertes. Laisser sécher 24 h.

5. Poser le joint. Laisser sécher. Nettoyer les traces avec l'éponge et le chiffon.

44 PETIT MEUBLE UNE PORTE

Un petit meuble trouvé dans une brocante et payé trois fois rien se transforme en élément de décoration entre vos petites mains expertes!

MATÉRIEL

Meuble une porte
Papier abrasif
Peintures acrylique : jaune, verte
Colle à mosaïque
Peigne de carreleur
Colle à mosaïque
Peigne de carreleur
Carreaux de mosaïque : verte, vert pâle, vert foncé et jaune
Joint
Éponge et chiffon

RÉALISATION

1. Retirer la porte du petit meuble. Poncer tout le meuble avec le papier abrasif.

2. Peindre le meuble en jaune, la poignée en vert. Laisser sécher.

3. Encoller le dessus de la porte, passer un coup de peigne pour égaliser la colle. Coller les carreaux un à un, en respectant la grille numéro 6 (page 61) . Laisser sécher 24 h.

4. Poser le joint. Passer un coup d'éponge. Laisser sécher. Nettoyer les traces avec l'éponge et le chiffon.

46 PHOTOPHORE MIROIRS

D'inspiration orientale, ce photophore à reflets trouve sa place partout dans la maison.

MATÉRIEL

Photophore en verre dépoli
Petits carreaux de miroir
Marteau
Colle à mosaïque
Scotch de peintre
Joint
Éponge et chiffon

RÉALISATION

1. Casser les carreaux de miroir au marteau.

2. Les coller en une bande de 2 cm environ tout autour du photophore, en encollant les carreaux un à un pour ne pas laisser de traces sur le verre.

3. Coller un morceau de Scotch au-dessus et en dessous de la frise.

4. Poser le joint. Passer un coup d'éponge. Laisser sécher.

5. Retirer le Scotch. Nettoyer les traces avec l'éponge et le chiffon.

48 POT À CRAYONS

Voilà le pot à crayons idéal pour le collectionneur de petites voitures. Parfait pour y ranger ses crayons de toutes les couleurs!

MATÉRIEL

Pot à crayons
Peintures acrylique : rouge, grise, blanche, noire
Mètre à ruban
Crayon
Carreaux de mosaïque en résine : rose grand format, rouge petit et grand formats, noire petit format, blanche petit format, verte petit et grand formats, orange grand format.
Pince coupante
Colle à mosaïque

RÉALISATION

1. Peindre l'intérieur du pot en rouge. Laisser sécher.

2. Peindre l'extérieur et les rebords du dessus en gris. Laisser sécher.

3. Séparer la surface du pot à crayons en trois parties, en mesurant le contour avec le mètre à ruban et en divisant le résultat par trois. Faire un point au crayon, puis tracer trois lignes dans la verticale sur ces trois points.

4. Prendre un carreau de mosaïque rose ; avec la pince, couper les quatre angles pour former un octogone. Coller ce carreau tout en bas du pot à crayons, sur une des lignes. Renouveler cette opération sur toute la longueur de la ligne, puis sur les deux autres. Laisser sécher la colle.

5. Dessiner les panneaux de signalisation au centre de chacune des surfaces : un feu tricolore, un sens interdit et un panneau de danger. Peindre le centre des dessins, le feu en noir, le sens interdit en rouge et le panneau de danger en blanc.

6. Coller des petits carreaux rouges sur les contours du sens interdit et du panneau de danger, des petits carreaux noirs sur les contours du feu.

7. Coller des petits carreaux blancs au centre du sens interdit et des petits carreaux noirs en point d'exclamation au centre du panneau de danger.

8. Former des disques avec trois grands carreaux – un vert, un rouge et un orange –, en coupant les angles avec la pince. Les coller au centre du feu.

9. Avec de la peinture blanche, tracer des lignes pour former des petites routes çà et là. Laisser sécher.

10. Sur ces routes, former des petites voitures rouge, bleue et verte, en collant deux carreaux côte à côte puis un au-dessus. Pour les roues, former des ronds avec des petits carreaux noirs, en coupant les angles avec une pince.

DIFFICULTÉ
***

50 PETIT DÉJEUNER EN AMOUREUX

Un petit déjeuner au lit et en amoureux ? Apportez-lui ce plateau qui lui dit tendrement bonjour.

MATÉRIEL

Plateau à pieds pliants
Papier abrasif
Peintures acryliques : orange, jaune
Crayon à papier
Équerre et règle
Carreaux de carrelage : jaune, orange, blanc
Marteau
Colle à carrelage
Peigne de carreleur
Joint
Éponge et chiffon

RÉALISATION

1. Poncer le plateau avec le papier abrasif.

2. Peindre le cadre du plateau – le dessus en orange, les côtés et les pieds en jaune. Laisser sécher.

3. Tracer trois lignes avec une équerre et une règle. Écrire au crayon le message « Bonjour mon amour... ».

4. Casser les carreaux en petits morceaux au marteau. Encoller le plateau, passer un coup de peigne pour égaliser la colle et voir le dessin. Placer des petits morceaux de carreau jaune sur les lettres de « Bonjour », orange sur « mon amour... ». Coller des morceaux de carreau blanc sur tout le reste du plateau. Laisser sécher 24 h.

5. Préparer le joint, y ajouter un peu de peinture orange et bien mélanger.

6. Poser le joint, passer un coup d'éponge humide. Laisser sécher. Nettoyer les petits excédents de joint avec l'éponge et le chiffon.

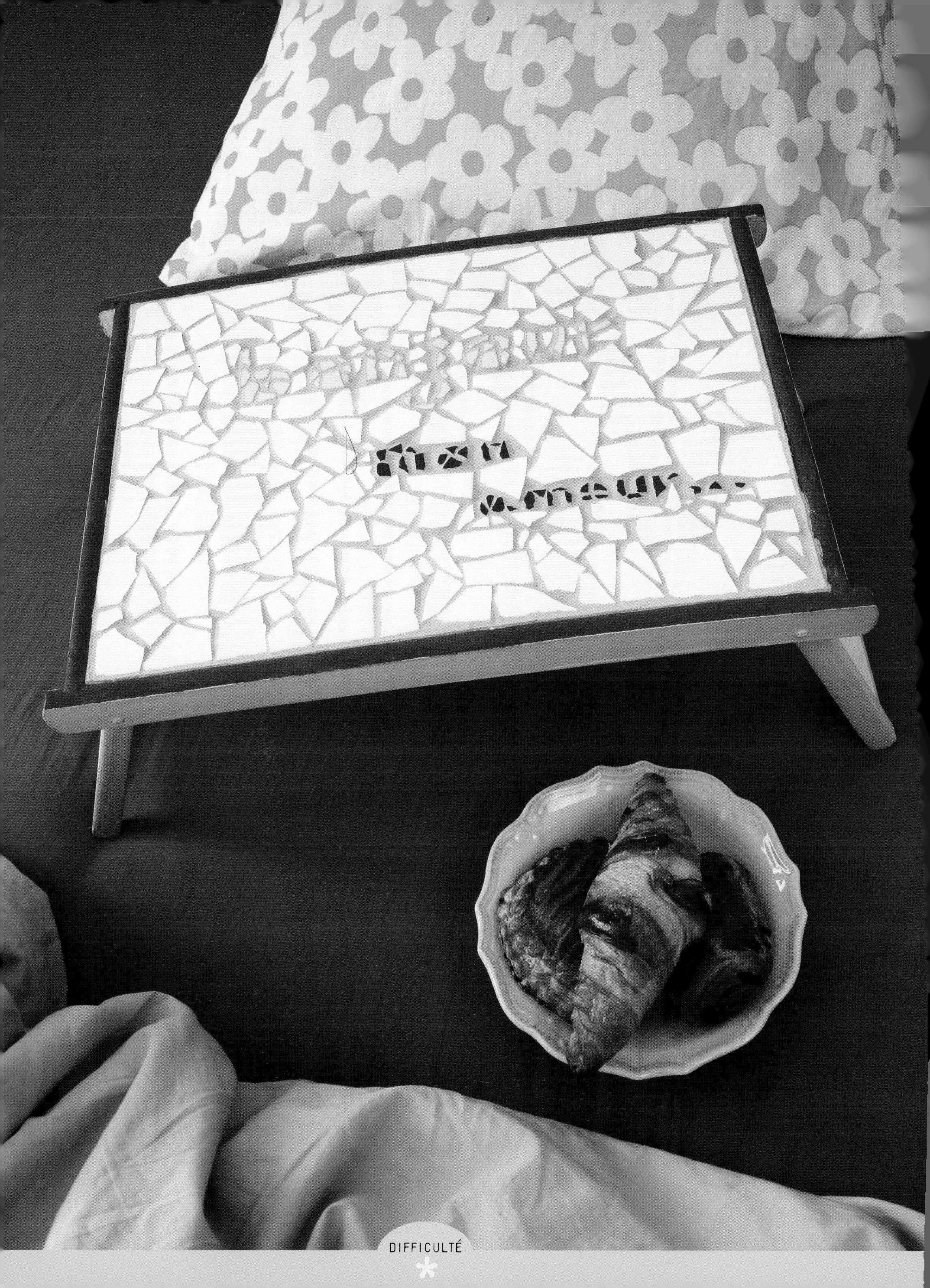

DIFFICULTÉ

*

52 MIROIR COQUET

Miroir, mon beau miroir, c'est toi le plus beau !

MATÉRIEL

Miroir
Peinture acrylique rouge
2 cabochons cœurs rouges
Colle à mosaïque
Carreaux de mosaïque en résine : rouge, rose, beige, petit format
Pince coupante

RÉALISATION

1. Peindre le contour du miroir en rouge. Laisser sécher.

2. Coller un cabochon juste sous le miroir. Coller six carreaux roses, pointe vers le haut, en commençant juste sous le cabochon. Coller deux petits carreaux roses de chaque côté du premier et deux beiges de chaque côté de tous les autres. Coller un autre cabochon dessous.

3. Couper un carreau rose en deux et disposer chaque morceau de chaque côté de la pointe. Couper des carreaux rouges en deux et les disposer autour du trou du manche. Disposer ensuite des carreaux beiges et des carreaux roses autour.

4. Coller un carreau beige et un carreau rose de chaque côté du cabochon sur le miroir. Couper des carreaux rouges, roses et beiges en deux.

5. Alterner un carreau rouge coupé pointe vers le bas, un carreau beige coupé ou rose pointe vers le haut. Faire ainsi le tour du miroir, en insérant un carreau entier tous les six demi-carreaux.

DIFFICULTÉ

**

PATÈRE ACCROCHE-CŒUR

Une petite place rien que pour le manteau ou la veste de votre homme? Voici la fameuse patère accroche-cœur.

MATÉRIEL

Patère simple
Colle à mosaïque
Carreaux de mosaïque en résine: orange, rouge, petit et grand formats

RÉALISATION

1. Encoller le socle de la patère. Coller des carreaux orange grand format sur le dessus et alterner des carreaux orange et rouges grand format pour la frise du tour.

2. Encoller la patère. Alterner des carreaux orange et rouges grand format pour la frise du tour. À l'aide de la grille numéro 8 (page 61), commencer par poser une croix de cinq petits carreaux rouges au centre, pour le départ du cœur. Coller les autres carreaux en suivant le schéma. Laisser sécher.

DIFFICULTÉ
*

56 TABOURET MILLE ÉCLATS

Sanguine, vous ? Si vous cassez toute votre vaisselle pendant les scènes de ménage, c'est uniquement pour décorer la maison…

MATÉRIEL

Tabouret
Papier abrasif
Peinture laque rouge
Scotch de peintre
Colle à carrelage
Carreaux en verre, 1 rouge et 3 bleus
Marteau
Joint
Éponge et chiffon

RÉALISATION

1. Poncer les pieds du tabouret avec le papier abrasif.

2. Peindre les pieds et le tour du siège en rouge. Laisser sécher.

3. Mettre un morceau de Scotch autour du siège. Encoller le siège. Casser le carreau rouge au marteau en tapant au centre. Disposer les morceaux au centre du siège, comme pour le reconstituer, en laissant quelques millimètres entre chaque morceau.

4. Casser les trois carreaux bleus. Disposer les morceaux autour du carreau rouge, en dirigeant les pointes vers le centre. Laisser sécher 24 h.

5. Poser le joint. Essuyer avec l'éponge. Laisser sécher. Nettoyer les traces avec l'éponge et le chiffon.

DIFFICULTÉ
**

58 PATRONS

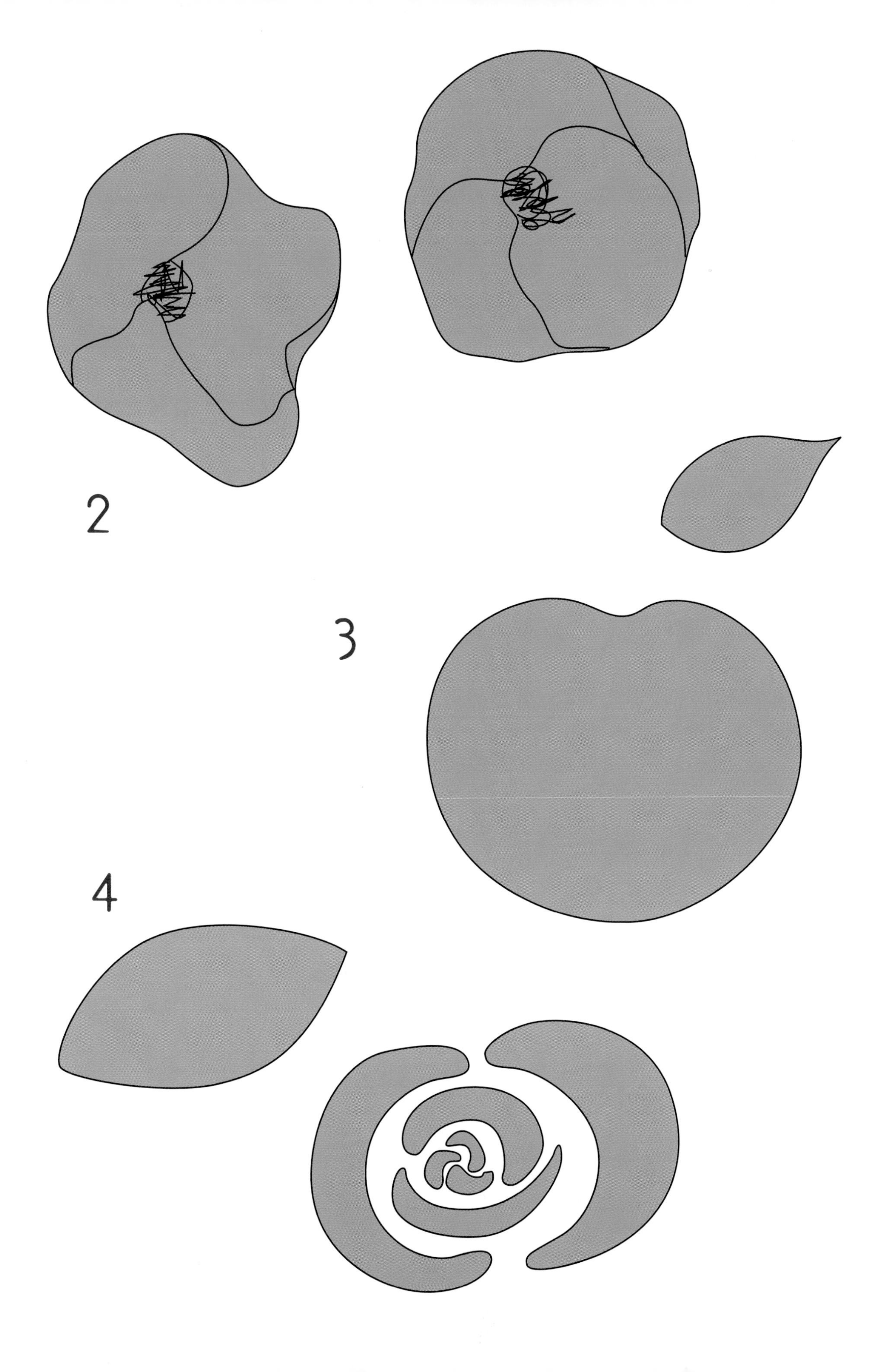
2
3
4

60 GRILLES

5

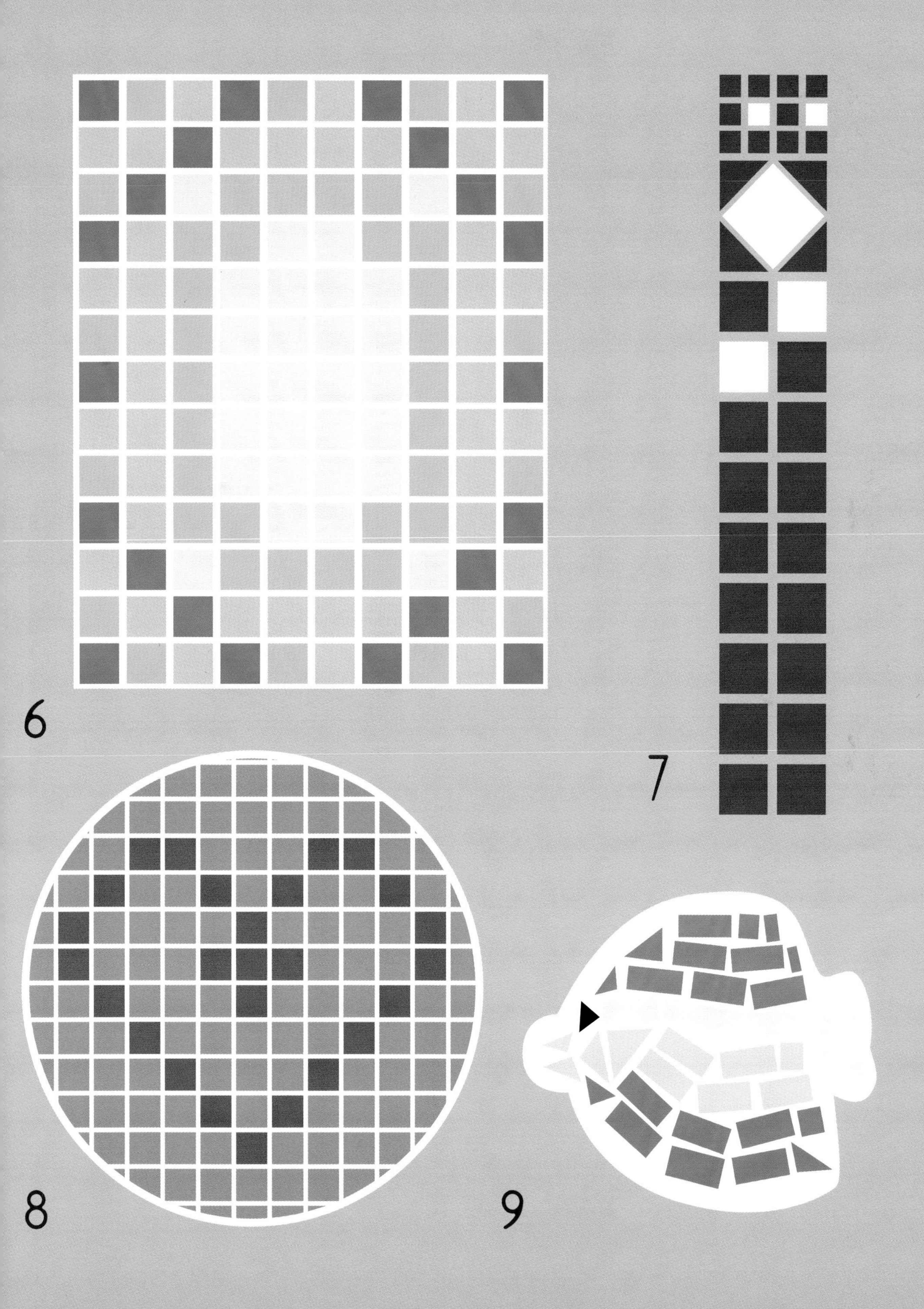
6
7
8
9

ADRESSES UTILES

MAGASINS DE LOISIRS CRÉATIFS

TRUFFAUT

Vous trouverez les adresses des magasins sur leur site : www.truffaut.com

CULTURA

Vous trouverez les adresses des magasins sur leur site : www.cultura.com

CRÉA

Vous trouverez les adresses des magasins sur leur site : www.crea.tm.fr

LOISIRS & CRÉATIONS

Vous trouverez les adresses des magasins sur leur site : www.loisirsetcreation.com

le marché des couleurs
L'OUTIL PARFAIT

Merci à Loisirs & Créations pour leur matériel,
en particulier à Murielle pour sa gentillesse
et son efficacité.
L'auteur tiens aussi à remercier l'équipe des petits
lutins, François, Mimik, Béné, Suzanne, Michel,
Florence et tout spécialement
Arnaud et Gaby.

Conception graphique : Marina Delranc
Mises en pages : Jean-Philippe Gauthier
Réalisation Photogravure : Peggy Huynh-Quan-Suu
Coordination éditoriale : Olivia Le Gourrierec